Le bon sommeil du roi

Les éditions de la courte échelle inc.
160, rue Saint-Viateur Est, bureau 404
Montréal (Québec) H2T 1A8
www.courteechelle.com

Révision : Martin Labrosse

Dépôt légal, 2ᵉ trimestre 2012
Bibliothèque nationale du Québec

La première édition de ce livre a paru en 2006 aux Éditions de la Paix, sous le titre *Le bon sommeil du roi de Sucredor*.

La courte échelle reconnaît l'aide financière du gouvernement du Canada par l'entremise du Fonds du livre du Canada pour ses activités d'édition. La courte échelle est aussi inscrite au programme de subvention globale du Conseil des Arts du Canada et reçoit l'appui du gouvernement du Québec par l'intermédiaire de la SODEC.

La courte échelle bénéficie également du Programme de crédit d'impôt pour l'édition de livres — Gestion SODEC — du gouvernement du Québec.

Catalogage avant publication de Bibliothèque et Archives nationales du Québec et Bibliothèque et Archives Canada

Meunier, Sylvain

Sucredor

Éd. originale du t. 1 : Saint-Alphonse-de-Granby, Québec : Éditions de la Paix, c2006.

L'ouvrage complet comprendra 3 v.

Sommaire : t. 1. Le bon sommeil du roi.

Pour enfants de 6 ans et plus.

ISBN 978-2-89695-184-0 (v. 1)

I. PA, Sophie. II. Titre. III. Titre : Le bon sommeil du roi.

PS8576.E9S92 2012   jC843'.54   C2011-942616-1
PS9576.E9S92 2012

Imprimé au Canada

Sucredor

1
Le bon sommeil du roi

Texte de
Sylvain Meunier

Illustrations de
Sophie PA

la courte échelle

À Sara et à Thomas, pour la vie qu'ils apportent à notre voisinage.

S. M.

Chapitre 1

Le merveilleux royaume de Sucredor

Il y a fort longtemps, très loin d'ici, existait un merveilleux royaume appelé Sucredor.

Ce joli nom n'était pas le fruit du hasard. Il lui venait d'un miel extraordinaire que produisaient des abeilles tout aussi extraordinaires. Quiconque avait eu la chance de goûter ce miel jurait n'avoir rien connu de meilleur.

Mieux encore, en manger tous les jours en bonne quantité vous assurait une santé de fer. Enfin, le plus formidable, ce miel doré vous faisait des dents blanches et brillantes comme des perles !

Le miel de Sucredor était recherché dans le monde entier et apportait au royaume une richesse enviable.

Quant aux grosses abeilles qui le produisaient, c'étaient de si gentilles bêtes que les enfants prenaient grand plaisir à leur apprendre à se regrouper en vol pour former de jolies sculptures dans le ciel toujours bleu de Sucredor.

Il y avait très souvent des festivals et des concours de sculptures d'abeilles, qui attiraient des milliers de curieux sur la grande place du royaume.

En fixant des papillotes colorées aux pattes des abeilles, on parvenait à représenter toutes sortes de friandises plus appétissantes les unes que les autres. On inventait même des formes inédites à partir desquelles les nombreux confiseurs du royaume se mettaient au défi de réaliser de nouvelles sucreries.

L'imagination des petites Sucredoriennes et des petits Sucredoriens ne connaissait pas de limite.

Tous les festivals se terminaient par un défilé grandiose dont la pièce principale était un gâteau gros comme une maison à l'effigie de Roupillon le Quatrième, le roi adulé de Sucredor.

Il va sans dire, donc, que le bon peuple de Sucredor menait une existence des plus paisibles et des plus heureuses.

Chapitre 2

À bon sommeil,
bon roi !

Si le roi de Sucredor était un si bon roi, c'est parce qu'il avait un fameux sommeil.

Chaque soir, le sage page, un garçon vif et intelligent que le roi aimait beaucoup, et dont la tâche principale était de veiller à son confort, tapotait tendrement le royal oreiller en fredonnant une berceuse (Roupillon le Quatrième avait gardé son cœur d'enfant).

Puis le grand chambellan, qui gérait l'horaire du roi et qui le conseillait, gentilhomme dévoué, très sérieux, long et mince, au crâne lisse et aux sourcils gris, tirait les royaux rideaux et proclamait solennellement :

— Que vienne le bon sommeil de
Sa Majesté !

Aussitôt, le bon sommeil du roi, qui
ressemblait à un petit bonhomme en
guimauve, se glissait dans son lit, sans que

personne le voie, et se collait à lui. Le roi sentait à peine sa présence qu'il s'endormait aussitôt. Le bon sommeil demeurait toute la nuit, tranquille, lové comme une brioche dans les bras de Roupillon le Quatrième.

Aux aurores, le bon sommeil disparaissait dès que le roi ouvrait les yeux, sans faire d'histoire, dans le chant des royales colombes qui roucoulaient gaiement à la fenêtre. Elles saluaient ainsi la naissance d'un autre beau jour dans la vie sereine du royaume de Sucredor.

Jamais on ne voyait le roi s'étirer ni bâiller, ou se traîner les pieds. Ainsi accomplissait-il ses multiples devoirs dans la meilleure des royales humeurs.

Le bon roi de Sucredor commençait toujours sa journée par un copieux petit-déjeuner. Il n'avalait pas moins de huit tranches de pain au chocolat, recouvertes de beurre de miel et parsemées de succulentes framboises givrées.

Ensuite, repu, il prenait des décisions. Chaque matin, il décrétait une journée de congé de taxes et d'impôts pour tous ! Le bon peuple de Sucredor n'en payait donc jamais. Et la générosité du roi ne s'arrêtait pas là.

— Monsieur le ministre des Affaires-à-faire, faites distribuer à chaque famille sucredorienne une royale bedaine de jujubes multicolores !

— Votre Majesté a déjà donné des jujubes hier, se permettait parfois de remarquer le ministre des Affaires-à-faire.

— Eh bien! alors… une royale bedaine dc dragées à la vanille !

À Sucredor, la « royale bedaine », un sac de la grosseur exacte de la bedaine du roi, était la mesure de toute chose.

Le roi signait ensuite des traités de paix avec des royaumes contre lesquels il n'avait pourtant jamais mené de guerre.

Enfin, le chœur de ses fonctionnaires lui chantait les rapports sur l'état du royaume.

L'agriculture se portait à merveille : il y avait plus de fleurs qu'il n'en fallait pour alimenter les abeilles, et les champs regorgeaient de beau blé blond pour faire du bon pain. Les nombreuses confiseries de Sucredor s'activaient à plein régime.

Les artistes de tout genre, musiciens, poètes, conteurs, peintres ou sculpteurs, produisaient en abondance des œuvres magnifiques qui charmaient le peuple et propageaient la gloire du royaume.

Rien qu'à voir la foule joyeuse qui envahissait tous les jours la grande place, on comprenait bien qu'il n'y avait, pour vivre, de meilleur endroit au monde que Sucredor.

Chapitre 3

Mais qu'arrive-t-il donc au bon roi ?

Or, un matin, le bon roi ne voulut pas se lever.

— Pas tout de suite…, bougonna-t-il au grand chambellan, qui venait d'entrer dans la royale chambre.

Il était vrai que les royales colombes ne manifestaient pas leur entrain habituel. Incrédule, le grand chambellan écarta les royaux rideaux.

— Il fait gris ! s'étonna-t-il. Peut-être est-ce là ce qui donne à Votre Majesté l'envie de rester au lit ?

C'était étrange, car à Sucredor, normalement, il ne pleuvait jamais que la nuit.

— On dirait que je viens tout juste de me coucher ! se plaignit encore le roi. J'ai cherché mon bon sommeil toute la nuit et il n'est pas venu.

— Ce serait bien étonnant, dit le sage page. Votre Majesté, à force de s'agiter, l'aura perdu dans ses draps. Allez, votre petit-déjeuner vous remettra sur pied.

Chose des plus incroyables, le roi renvoya, sans y avoir touché, le petit-déjeuner ! Cela inquiéta au plus haut point le grand chambellan. Perte de sommeil, perte d'appétit, c'était extrêmement préoccupant. Il fit tout de suite appeler le docte docteur.

Celui-ci examina le roi en détail, ses yeux, ses oreilles, sa gorge, il écouta les battements de son cœur…

— Rien ! Sa Majesté n'a aucun problème de santé, affirma le docte docteur au grand

chambellan. Les choses devraient se replacer
d'elles-mêmes.

En attendant, le roi passa une fort
mauvaise journée. Il refusa de donner congé
de taxes et d'impôts à ses sujets. Cela embêta
grandement le ministre des Affaires-à-faire,
qui avait oublié depuis longtemps comment
on s'y prenait pour les percevoir.

Roupillon le Quatrième bouda quand on lui proposa d'offrir une royale bedaine de pastilles au chocolat à chaque famille du royaume.

Le chœur des fonctionnaires chanta faux, et les abeilles volèrent difficilement toute la journée.

— Oh là là! gémit le roi. Vivement le soir, que je retrouve enfin mon bon sommeil!

Mais le soir venu, quand le sage page eut tendrement tapoté le royal oreiller et chanté sa ritournelle, le roi demeura assis dans son lit, les yeux grands ouverts. Pas moyen, dans ces conditions, d'appeler son bon sommeil!

Le roi ordonna qu'on lui raconte une histoire. Le sage page lui lut celle du Petit Chaperon rouge comme un sucre d'orge, et celle des Trois Petits Cochons dodus comme

des beignets, et puis celle du Bonhomme de pain d'épice, mais rien n'y fit.

Pourtant, le roi était fatigué ! Il avait les yeux rouges. Il bâillait. Il gigotait sans arrêt. Il battait son oreiller.

Au petit matin, il n'avait pas fermé l'œil. Il chassa le grand chambellan avant que ce dernier ait pu dire un seul mot. Il lança une royale chaussure aux royales colombes qui déguerpirent en craillant comme des corneilles. Roupillon le Quatrième exigea qu'on ne le dérange plus.

Chapitre 4

Le peuple est fâché !

Mais le ministre des Affaires-à-faire, qui, malgré son titre, avait si peu à faire de coutume qu'il restait en pyjama jusqu'à midi, fit irruption dans la royale chambre.

— Votre Majesté doit réagir ! Nous venons d'apprendre qu'une abeille a piqué un jeune garçon !

— Quoi ? Comment ? Pourquoi ? grogna le roi. Qu'on arrête cette abeille et qu'on l'emprisonne !

— Nous n'avons pas de prison à Sucredor, Votre Majesté !

À quoi aurait servi une prison, en effet, dans un royaume où tout le monde était honnête ?

— De toute façon, il y a des problèmes plus urgents, poursuivit le ministre. Le peuple non plus ne dort plus. Or un citoyen qui ne dort pas devient bougon, maussade et maladroit. Il n'a plus le cœur à la fête, et tout se met à aller de travers !

Le roi entendit des bruits de foule. Il se rendit à sa fenêtre. Sur la grande place, des milliers de personnes au regard méchant exigeaient qu'il prenne des mesures d'urgence, ou qu'il abdique.

Sur des pancartes, on lisait : « Ça suffit les bonbons, on veut de l'action ! »

— Mais comment, de l'action ! Qu'est-ce que c'est que ça, de l'action ? On est si bien quand on ne fait rien !

— Je suis tout à fait de votre avis, Votre Majesté, dit piteusement le ministre des Affaires-à-faire. Je vais m'habiller.

Le roi se sentait triste et impuissant.

— J'ai perdu mon sommeil et, sans lui, je ne suis plus bon à rien. Il faut le retrouver. Faites venir le chef des espions.

Le chef des espions avait cent douze ans ! Il était à la retraite. En fait, il n'y avait plus d'espions à Sucredor depuis la disparition

du dernier ennemi, de nombreuses années
plus tôt. Or justement, bien calé dans son
fauteuil roulant, le vieillard aux lunettes
grosses comme des loupes consulta ses
archives poussiéreuses, et déclara :

— Dans toute l'histoire du royaume, il n'y a jamais eu qu'un seul ennemi assez méchant pour s'attaquer au bon sommeil du roi, j'ai nommé : Vilain Somniak, le savant frustré qui déteste le sucre !

— Vilain Somniak, notre ennemi ancestral ! se désolèrent en chœur le roi, le grand chambellan et le ministre des Affaires-à-faire, qui avait revêtu sa salopette de travail.

— Je croyais que ce n'était qu'une légende ! ajouta le roi.

— Oh que non ! Votre ancêtre, Roupillon Ier, l'a pourchassé avec une armée d'abeilles spécialement entraînées, jusqu'à ce qu'il se jette dans un lac de sirop d'érable. On a cru qu'il y avait péri, puisqu'il ne supportait pas le sucre. Mais il faut croire qu'il s'en est sorti et qu'il a préparé longuement sa vengeance. Il y a fort à parier qu'il s'est installé dans la caverne de sel.

Chapitre 5

Les noirs projets
de Vilain Somniak

Le chef retraité des espions avait vu juste.

La caverne de sel était le seul endroit de Sucredor où l'on était certain de ne pas trouver de sucre et, en conséquence, personne n'y mettait jamais les pieds.

Vilain Somniak y avait bel et bien installé son laboratoire. Tandis qu'au palais, on se désolait, lui, il fixait de ses affreux yeux creux un bocal dans lequel était enfermée une précieuse capture : nul autre que le bon sommeil du roi de Sucredor !

41

— Ha ! ha ! ha ! ricanait le savant frustré en dévoilant ses dents sèches et sa langue granuleuse. Mon intercepteur de sommeil est la plus grande invention de tous les temps ! Il m'a suffi de le faire voler devant la

fenêtre de la royale chambre juste après que
les royaux rideaux ont été tirés pour que le
sommeil de ce malheureux Roupillon s'y
prenne comme une mouche dans une toile
d'araignée.

Le redoutable appareil ressemblait en effet à une gigantesque toile d'araignée en fil de fer, avec quatre hélices sur son pourtour. Il faisait une tache sombre entre les murs de sel blanc de la caverne.

— Grâce à lui, plus personne ne dort à Sucredor ! Bientôt, le peuple chassera le roi et je surgirai tel un sauveur ! Je renommerai le royaume « Seldor » ! Nous ne produirons plus que des biscuits salés et des croustilles au vinaigre ! Je formerai une grande armée de grincheux ! J'attaquerai les royaumes voisins. Je deviendrai le maître du monde ! Alors, enfin, je te prendrai, beau sommeil, et je serai le seul à dormir ! Ha ! ha ! ha ! ha !

Chapitre 6

Qui trouvera la solution?

Au château, le roi voulut convoquer ses chevaliers.

Hélas! on lui apprit que, plutôt que de périr d'ennui dans ce royaume sans guerre, les chevaliers s'étaient tournés vers d'autres métiers dans lesquels ils se sentaient plus utiles : pâtissier, chocolatier, glacier… Il n'en restait qu'un seul : le chevalier Sans-Beurre-et-Sans-Brioche. Comme il manquait singulièrement d'exercice, il pesait deux cents kilos.

Il arriva vêtu de son armure disloquée et monté sur ses grands chevaux — il était si gros qu'un seul ne suffisait plus !

— Allez sur-le-champ combattre Vilain Somniak! lui ordonna le roi.

— Désolé, Votre Majesté, mais le médecin m'interdit désormais tout sport violent. Avec votre permission, je vais rentrer chez moi. Vous n'auriez pas un peu de miel pour la route?

— Fichez le camp avant que je ne vous fasse pendre! hurla le roi.

C'était un événement historique : jamais on n'avait vu se fâcher Roupillon le Quatrième.

— De toute manière, souffla le ministre au roi, nous n'avons pas de potence. Votre Majesté a aboli toutes les peines !

— Mais c'est incroyable ! Nous sommes dépourvus de tout !

— C'est que nous n'avons jamais eu besoin ni de potence, ni de policiers, ni de guerriers, avec un si bon roi que Votre Majesté.

— Eh bien, je ne suis plus un bon roi !
pleurnicha Roupillon. Je suis un… un…
pauvre roi accablé de soucis.

Il se moucha dans son royal manteau. Le
grand chambellan, le ministre des Affaires-
à-faire et le chef retraité des espions bais-
sèrent les yeux devant cette scène indigne.

Le sage page, qui, d'habitude, évitait de
se mêler des choses sérieuses, se permit de
prendre la parole.

— Si Votre Majesté me promet la main
de sa fille, je me chargerai de lui rapporter
son bon sommeil !

— Oooooh ! firent toutes les personnes
présentes.

— Accordé ! trancha le roi. Tu épouse-
ras ma fille aussitôt que j'aurai récupéré mon
bon sommeil.

Le grand chambellan se pencha à l'oreille
du roi.

— Je me dois de
vous rappeler qu'avec
un si bon sommeil,
Votre Majesté n'a
jamais eu d'enfant !
Elle n'a même pas de
reine !

— C'est pourtant vrai ! se désola le roi
en se frappant la couronne. Décidément, la
cause est désespérée.

— Mais non, Votre Majesté ! s'exclama
le sage page. Je suis amoureux de Sarah-
Praline, la plus jolie orpheline du royaume,
qui m'aime tout autant. Vous n'aurez qu'à
l'adopter.

— Avec joie ! J'ai toujours rêvé d'avoir
une princesse !

— Mais comment vous y prendrez-vous,
sage page ? s'enquit le ministre des
Affaires-à-faire.

— Il me faut seulement quelques kilomètres de réglisse rouge et un robinet.

On lui apporta aussitôt un énorme rouleau de réglisse, dans une charrette.

— Quand je sifflerai dans le tube, dit le sage page, vous l'attacherez au robinet et vous ferez couler l'eau.

Puis il courut vers la caverne de sel, déroulant sa réglisse au fil du chemin.

Chapitre 7

Vilain Somniak
se croit trop fort

Sur son écran de surveillance, Vilain Somniak vit le sage page approcher.

— Ce gamin est-il tout ce que ce benêt de Roupillon a trouvé pour m'affronter ? C'est trop drôle. Je pourrais le désintégrer, mais je vais le laisser venir, histoire de rigoler un peu.

Le sage page arriva enfin à l'entrée de la caverne de sel. En deux coups de dents, il tailla la réglisse en sifflet, puis il y souffla de toutes ses forces.

À l'autre bout, le ministre des Affaires-à-faire ouvrit le robinet. L'eau commença à couler dans le tube de réglisse, que le sage page faisait descendre dans la caverne.

— Qu'est-ce que c'est que ce fil rouge ? s'inquiéta Vilain Somniak.

Il s'empara de grands ciseaux et se précipita pour le couper. Trop tard ! L'eau qui giclait dans la caverne aspergea le savant frustré.

Or cette eau, qui avait circulé dans la réglisse rouge, était devenue sucrée ! Vilain Somniak, comme on sait, ne supportait pas le sucre. Rien qu'à en respirer l'odeur, il fut saisi de violentes crampes et s'enfuit au fond de la caverne.

L'eau dissolvait maintenant les parois de sel.

L'intercepteur de sommeil se disloqua dans une pétarade de flammèches.

Le bocal dans lequel était enfermé le bon sommeil du roi de Sucredor se mit à flotter. Le sage page le récupéra bientôt et le rapporta au palais, comme il l'avait promis.

— Votre Majesté devrait se mettre au lit avant de l'ouvrir, recommanda le sage page.

Le roi suivit son conseil. Le garçon tapota tendrement le royal oreiller.

— Dormez bien, Votre Majesté, dit le grand chambellan.

Le bon roi de Sucredor ouvrit le bocal et, aussitôt, son bon sommeil lui sauta dans les bras.

Roupillon le Quatrième n'eut pas besoin qu'on lui chante une berceuse, ni qu'on lui raconte une histoire. Sa royale bedaine se mit à se gonfler et à se dégonfler au rythme régulier de sa respiration et, effet de la grande fatigue des jours derniers, il commença à ronfler !

Le grand chambellan, le ministre des Affaires-à-faire, le chef retraité des espions et le sage page se retirèrent sur la pointe des pieds.

— C'est bien beau, tout ça, mais il faudrait aussi régler le problème de la caverne de sel, réfléchit le chef retraité des espions.

— Qu'on la remplisse de caramel ! C'est délicieux, du caramel à la fleur de sel ! suggéra le sage page.

— Mon garçon, vous êtes un génie ! proclama le grand chambellan.

— Je m'en occupe immédiatement, trancha le ministre des Affaires-à-faire.

Chapitre 8

Ce sera une grande journée !

Le roi se réveilla aux aurores, quand les royales colombes vinrent roucouler à sa fenêtre.

Le sage page lui apporta un petit-déjeuner qui était tout sauf petit. Puis il courut rejoindre Sarah-Praline, l'élue de son cœur, pour faire officiellement sa demande en mariage.

— Votre Majesté a une grosse journée devant elle, dit le grand chambellan. Elle doit adopter une princesse et organiser de fastueuses noces !

— Eh bien! ça va faire changement, se réjouit le roi. Qu'on annonce au peuple la grande nouvelle!

Mais, allez savoir comment, la nouvelle s'était déjà répandue! Sur la grande place, le peuple de Sucredor, qui avait dormi tout son soûl, célébrait déjà les plus heureuses épousailles de l'histoire du royaume.

Tous les visages arboraient de larges sourires, et les dents brillantes des Sucredoriens et des Sucredoriennes donnaient à la grande place l'air d'un gigantesque coffret à bijoux.

À cette vue, le bon roi de Sucredor, Roupillon le Quatrième, essuya une larme qui s'échappait de son œil royal. Une larme de joie!

Épilogue

Ce furent des noces mémorables. Le couple princier traversa la grande place dans un carrosse en meringue garni de bonbons clairs qui scintillaient comme des joyaux.

Le sage page, qui venait d'être anobli et qui porterait désormais le nom de prince Thomas-Nougat, en descendit le premier. Il offrit le bras à sa princesse, qui apparut sous les applaudissements délirants de la foule. Elle était vêtue d'une robe blanche constellée de roses en sucre, avec une traîne en barbe à papa qui s'étirait à n'en plus finir, tenue au-dessus du sol par une ribambelle de garçons et de fillettes aux joues vermeilles.

Une immense estrade avait été dressée, sur laquelle le magistral magistrat reçut les jeunes amoureux. Noble vieillard à la longue barbe blanche, le magistral magistrat avait marié à peu près tous les couples du royaume.

La cérémonie fut brève et se conclut par le baiser d'usage, qui fut salué par des milliers de vivats enthousiastes.

Aussitôt, des nuées d'abeilles envahirent le ciel comme des feux d'artifice et dessinèrent un splendide portrait des nouveaux mariés.

La fête qui suivit dura toute une année !

Sarah-Praline et Thomas-Nougat vécurent heureux et longtemps. Ils eurent beaucoup d'enfants… mais pas tout de suite !

Table des matières

Sylvain Meunier

Après avoir enseigné pendant trente ans, Sylvain Meunier se consacre maintenant à l'écriture. Il a été trois fois finaliste au prix du Gouverneur général, pour *Le seul ami*, *L'homme à la bicyclette* et *Piercings sanglants*. En 2007, il remporte le Prix de création en littérature de la Ville de Longueuil pour la séric *Ramicot Bourcicot*. En 2011, il obtient le Grand Prix du livre de la Montérégie pour *L'histoire de MON chien*.

Pour se détendre, il aime gratter sa guitare — même s'il dit ne pas avoir l'oreille musicale —, partir en promenade avec son chien, jardiner et jouer au badminton.

Sophie PA

Formée en design graphique à l'Université du Québec à Montréal, Sophie PA a développé un style au trait énergique et spontané. En avril 2011, elle reçoit la bourse d'illustration Michèle Lemieux. La même année, elle obtient un prix Lux en illustration, dans la catégorie étudiant.

Dans le prochain tome…

Roupillon le Quatrième a retrouvé le sommeil et le royaume est de nouveau paisible. Tout va pour le mieux : les abeilles butinent, les amoureux se bécotent… jusqu'à ce qu'une créature aux écailles violettes fasse son apparition. Un animal très étrange !

Achevé d'imprimer
en avril deux mille douze, sur les presses
de l'imprimerie Gauvin, Gatineau, Québec